Bigoudi

Texte de Delphine Perret
Illustrations de Sébastien Mourrain

Les
fourmis
rouges

Dans une ville immense, entre les gratte-ciel et les canards migrateurs, vivait Bigoudi.

Elle habitait avec Alphonse, son bouledogue français, au 156ᵉ étage d'un immeuble gris-rose qui donnait sur une avenue toujours pleine de voitures et de feux rouges, ce qui faisait très joli la nuit.

Alphonse était le chouchou de Bigoudi, son croûton, son baba au rhum.

Les journées de Bigoudi et Alphonse démarraient en trombe et sans trace d'oreiller sur la joue.

Dès l'aube, il y avait le café de chez Luigi : un grand capuccino double crème goût caramel (avec un petit carré de sucre roux pour Alphonse).

Ensuite, ils passaient chez Orlando pour se refaire un peu la frange, feuilleter distraitement des magazines et surtout, avoir les dernières nouvelles des stars.

Quelques mètres plus loin, Georges réservait toujours
à Alphonse le petit os à moelle le plus tendre du matin.
Puis, à grandes enjambées, ils rejoignaient le parc.

Installés à côté de monsieur Yamasaki, ils recomptaient les canards en parlant de la forme des cumulus. Il était déjà midi. Eliott avait toujours un petit compliment en leur servant leur hot-dog.

Ensuite, au deuxième étage du plus grand magasin
de la ville, ils essayaient ensemble les mêmes chaus-
sures en discutant avec Ella.

Puis ils se dépêchaient pour arriver à l'heure au cours de poterie et s'asseoir près d'Edna tout en ayant un bon point de vue sur le beau Bjorn.

De la terre plein les mains, ils se rendaient au centre de gym spécial chiens et Bigoudi discutait shampoing avec Tom et Mercedes pendant qu'Alphonse musclait ses pattes arrière.

Chez Beatrix, le thé-poker ne commençait jamais à l'heure mais finissait toujours par une dispute au sujet de quelqu'un qui aurait triché.

En rentrant, ils passaient par l'épicerie de Louis pour prendre quelques boîtes de petits pois. L'ascenseur mettait des heures à les hisser jusqu'au 156e étage.

Et le soir, dans leurs peignoirs, à la fenêtre du salon, ils regardaient les lumières de la ville en fumant des cigarettes en chocolat.

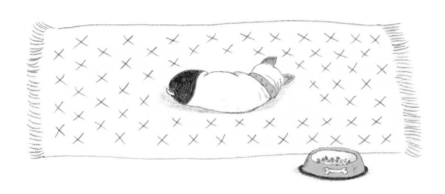

Mais Alphonse se faisait vieux (même si ça ne se voyait pas grâce à sa gym).
Si vieux qu'un matin, il s'allongea sur le tapis et poussa son dernier soupir.
Ce jour-là (et les suivants), Bigoudi pleura toutes les larmes de son corps.

Elle pleura au cinéma,

dans les rayons des magasins,

dans les parkings souterrains,

à l'arrêt du bus,

chez le dentiste,

et dans son oreiller.

Après ça, elle se dit « plus jamais », et décida donc
que plus jamais cela ne lui arriverait.
Longtemps, elle contempla la photo d'Alphonse.

Elle s'assit sur ce bon vieux canapé mou et se mit à penser combien elle serait triste si Luigi devait disparaître un jour.
Et Orlando. Et Georges, et monsieur Yamasaki.
Et Eliott, Ella, Edna, Bjorn, Tom, Mercedes, Beatrix, Louis. Elle se dit qu'il ne faudrait pas trop s'y attacher. Il faudrait peut-être ne plus les voir.

Même le facteur elle l'aimait bien. Après tout, ce serait plus sûr de ne pas trop le fréquenter.

Alors elle ferma sa porte à double tour. Et se dit qu'enfin elle était à l'abri. Qu'elle était plus heureuse comme ça. Oui, vraiment plus heureuse.

Elle ne vit plus personne. Ni en hiver, ni au printemps,
ni en été, ni en automne.

Elle faisait ses courses par correspondance, ne répondait plus au téléphone, regardait des gens tout plats à la télévision.

Et un matin, de l'autre côté de la fenêtre du 156ᵉ étage, il y eut quelqu'un. Elle rêvassait et ne le vit pas tout de suite. Il lui apparut derrière le petit nuage de fumée de son café trop chaud.

Elle avait oublié qu'en vrai, les gens avaient un peu de volume, des dents pas toujours alignées, des cheveux qui tombent parfois, et des mains dodues.

Il s'arrêta d'étaler la mousse du produit vitre et lui fit un bon sourire. Elle sourit à son tour, découvrant toutes ses dents blanches. Il articula alors quelque chose, mais le son ne traversait pas le double vitrage sécurité super-renforcé. Elle n'allait quand même pas ouvrir la fenêtre ! Il insistait.

Elle hésita.

Et puis «vvvvuuuuummm-clang», la nacelle passa à l'étage du dessous.

Mince, ça avait l'air très important, ce qu'il avait à dire. Et s'il y avait un espion derrière elle ? S'il y avait une attaque nucléaire et qu'elle seule n'était pas au courant ?
Elle s'était promis que plus jamais…

Elle ouvrit quand même la fenêtre, prudemment. L'air frais et pollué lui colla une petite claque agréable. Elle se pencha pour appeler cet inconnu, glissa à cause de son petit chausson mal mis…

...Et atterrit dans les bras du monsieur en salopette, qui sentait la cigarette. Plus exactement, il fut un peu assommé en amortissant sa chute à elle.

– Ça va ? Rien de cassé ?
Non non, elle ne répondrait pas. Et si jamais elle se mettait à le trouver gentil ? Et si jamais ils devenaient amis et qu'un jour il poussait son dernier soupir ?

– Je voulais vous dire quelque chose tout à l'heure, continua-t-il. Je voulais vous prévenir : vous avez un peu de persil entre les dents. Ça fait désordre.
Elle rigola, sans faire exprès. Et d'un seul coup, d'un seul, en inspirant très fort, elle eut envie de rire et de pleurer en même temps, et se laissa envahir par une grande bouffée de gratitude.

– Merci, dit-elle
– Oh ben, de rien !
– Si, si. C'est très important, figurez-vous.
Je peux descendre avec vous ?
J'ai beaucoup d'amis à voir aujourd'hui…

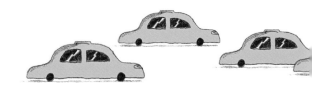

Fin

© Éditions Les Fourmis Rouges, 2014
www.editionslesfourmisrouges.com
ISBN 978-2-36902-021-9
Dépôt légal : mars 2014
Loi n° 49-956 du 16 juillet 1949
sur les publications destinées à la jeunesse
Achevé d'imprimer en Italie en février 2014
Conception graphique : www.fouinzanardi.com
Photogravure : IGS-CP 16